OBJETOS

Ciranda Cultural

OBJETOS

1. O que é, o que é? Pode ser de ferro, de gelo, de chocolate e de água?

2. O que é, o que é? Passa o dia no céu e a noite dentro d'água?

3. O que é, o que é? Em casa está calado, mas no mato está batendo?

4. O que é, o que é? Tem o pé comprido e rastro redondo?

5. O que é, o que é? Parte e se reparte, mas não se come?

6. O que é, o que é? É inteiro, mas tem nome de pedaço?

7. O que é, o que é? De dia tem quatro pés e de noite tem seis?

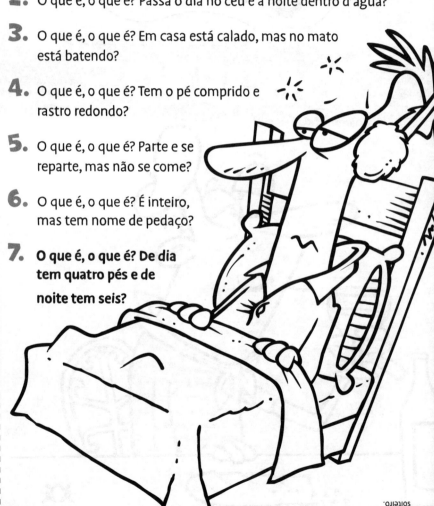

RESPOSTAS: 1. A barra. 2. A dentadura. 3. O machado. 4. O compasso. 5. O baralho. 6. A meia. 7. A cama de solteiro.

8. O que é, o que é? Anda, anda, e vai sempre para detrás da porta?

9. O que é, o que é? Joga fora quando precisa e recolhe quando não precisa?

10. Como se podem pregar pregos sem bater com o martelo nos dedos?

11. O que é, o que é? Coisa comprida como a estrada e que cabe em mão fechada?

12. O que é, o que é? Tem mais de dez cabeças, mas não sabe pensar?

13. **O que é, o que é? Tem um pé redondo, mas o rastro é comprido?**

OBJETOS

14. **O que é, o que é? Tem pescoço, mas não tem cabeça?**

15. Qual o tempo que você recebe no seu aniversário?

16. O que é, o que é? Apesar de não ter pés, vive de ir e vir?

17. O que é, o que é? Se deixa marcar para ensinar os outros?

18. Como é que você pode passar pelo buraco da fechadura?

19. O que é, o que é? Na água não molha, e no fogo não queima?

20. O que é, o que é? Se vem da cobra pode matar, se vem do navio, pode salvar?

RESPOSTAS: 14. A garrafa. 15. O presente. 16. Um serrote. 17. O papel do livro. 18. Escreva "você" num papelzinho, enrole bem fininho e passe o papelzinho pela fechadura. 19. A sombra. 20. O bote.

4

21. O que é, o que é? Nós não o vemos, mas nos incomoda tanto, que ficamos felizes quando ele some da vista?

22. O que é, o que é? Não estando vivo, tem quatro pernas, come, bebe, se veste e joga cartas?

23. O que é, o que é? Nasce com rugas e morre lisinho?

24. O que dá se cruzar um leque com um liquidificador?

25. Onde no mundo você encontra mais do que quatro estações?

26. O que é, o que é? Pode estar perdido e ao mesmo tempo conhecer-se sua localização?

RESPOSTAS: 21. Um cisco. 22. Uma mesa. 23. O pneu. 24. Ventilador com 10 velocidades. 25. Num rádio. 26. Uma agulha no palheiro.

5

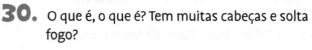

OBJETOS

27. O que é, o que é? O maior complexo do alfinete?

28. Por que relógio sempre para quando cai no chão?

29. O que é, o que é? Que queima pela cabeça e chora pelo pescoço?

30. O que é, o que é? Tem muitas cabeças e solta fogo?

31. O que é, o que é? Se torna mais alto quando se tira a cabeça dele?

32. **O que é, o que é? Tem braços e pernas, mas não tem cabeça?**

33. O que é, o que é? Não é telefone, mas vive dando linha?

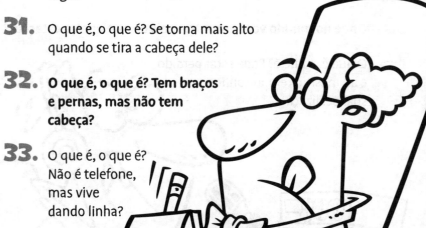

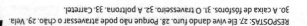

RESPOSTAS: 27. Ele vive dando furo. 28. Porque não pode atravessar o chão. 29. Vela. 30. A caixa de fósforos. 31. O travesseiro. 32. A poltrona. 33. Carretel.

34. O que é, o que é? Tem bico e não pica, tem asa e não voa?

35. O que é, o que é? Quanto mais roto menos buracos tem?

36. O que é, o que é? Podem tirar de nós antes de termos?

37. Por que o sapato andava triste da vida?

38. O que é, o que é? Cru não existe, cozido não se come?

39. O que é, o que é? A matéria mais familiar?

40. O que é, o que é? O lugar onde dorme o relógio?

41. Qual o banco mais desconfortável?

42. O que é, o que é? Fica cheio de boca para baixo e vazio de boca para cima?

43. O que é, o que é? Come-se no masculino e brinca-se no feminino?

44. O que é, o que é? A parte do carro que se originou no Antigo Egito?

45. O que é, o que é? Para estar certa tem de estar parada?

46. Como é que se faz uma pilha de rádio?

47. O que é, o que é? A peça da bicicleta que dá pé?

48. **O que é, o que é? Quando para, cai?**

RESPOSTAS: 41. O banco dos réus. 42.Chapéu. 43. O bolo e a bola. 44. Os faróis. 45. A balança. 46. Põe um rádio em cima do outro. 47. O pedal. 48. A bicicleta.

8

49. O que é, o que é? Tem dois pés e nenhum dedo?

50. O que é, o que é? Qual o tipo de carro que pode andar sobre a água?

51. **O que é, o que é? Sobe e desce, mas não sai do lugar?**

52. Por que o fazendeiro quando sai, deixa o relógio em casa?

53. O que é, o que é? Só trabalha se lhe batem na cabeça?

54. O que é, o que é? É preciso para entrar em um avião?

55. O que é, o que é? No mar tem uma, na terra tem duas e no mundo não tem nenhuma?

56. Quando o sapato ri?

RESPOSTAS: 49. Meia. 50. Qualquer um, desde que ele passe por cima da ponte. 51. A escada. 52. Porque ele tem um relógio de parede. 53. O prego. 54. Estar fora dele. 55. A letra R. 56. Quando acha graxa.

57. O que é, o que é? O utensílio de cozinha que comporta sempre a mesma quantidade de água, independentemente de seu tamanho?

58. Quem é que nunca tem cabelo, nunca perde cabelo e ao envelhecer é chamado de careca?

59. Por que não se pode pôr o para-brisa de um fusca em nenhum outro carro?

60. O que é, o que é? Tem pneus, tem faróis, tem assento. Não é ambulância, nem carro oficial. Pode andar a mais de 80 km por hora e nunca será multado por excesso de velocidade?

61. O que é, o que é? Quando bate na pedra não quebra e quando cai na água se parte?

62. O que é, o que é? Se você joga para o alto, cai; mas se você joga no chão, sobe?

RESPOSTAS: 57. A peneira. 58. O pneu. 59. Para não ofuscar a visão. 60. O avião. 61. O papel. 62. A bola.

63. O que é, o que é? Quando seca, fica molhada?

64. **O que é, o que é? O melhor chá para a calvície?**

65. O que é, o que é? Se faz para comer, mas não se come?

66. O que é, o que é? Tem a boca na barriga e vive com a corda no pescoço?

67. Por que a secretária queria um envelope redondo?

68. O que é, o que é? Enche a casa, mas não enche a mão?

69. Por que é que o trem apita na curva?

RESPOSTAS: 63. Toalha. 64. O chá-péu. 65. Os talheres. 66. O violão. 67. Porque ela queria mandar uma circular. 68. O botão. 69. Porque o maquinista puxa a cordinha.

70. O que é, o que é? Tem um palmo de pescoço, tem barriga e não tem osso?

71. Por que o carteiro entrega as cartas?

72. O que é, o que é? Nos dá o poder de ver através da parede?

73. **O que é, o que é? Corre em volta de sua casa, mas não se move?**

74. Qual a melhor maneira de fazer fogo com dois pauzinhos?

75. Por que o computador foi ao médico?

76. Por que é que a gente vai até a cama?

RESPOSTAS: 70. A garrafa. 71. É porque elas não sabem ir sozinhas. 72. A janela. 73. A cerca. 74. É fácil, desde que um deles seja o fósforo. 75. Porque ele estava com um vírus. 76. Porque a cama não pode vir até a gente.

OBJETOS

77. Que espécie de guarda-chuva os ingleses carregam quando chove?

78. Por que quando a gente joga uma moeda para cima não cai mais?

79. **O que é, o que é? Tem 4 pernas e não sai do lugar, tem 2 braços e não abraça?**

80. O que é, o que é? O castelo onde não mora ninguém?

81. Um homem foi do Rio a São Paulo com um pneu furado. Como é que isto aconteceu?

82. O que é, o que é? Se enche de manhã e se esvazia à noite?

RESPOSTAS: 77. O guarda-chuva molhado. 78. Por que é que havia de cair mais?
79. A cadeira. 80. O castelo de areia. 81. O pneu furado era o estepe. 82. A meia.

13

83. O que é, o que é? Tem orelhas e não escuta, tem palavras e não fala nada?

84. O que é, o que é? Resulta de um cruzamento entre um urso polar e um canguru?

85. O que é, o que é? É mais fino do que um palito e pula mais do que um cabrito?

86. O que é, o que é? Irmãos tão parecidos que, quando um erra, todos erram também. Quem são?

87. O que é, o que é? Está na boca, mas não é da boca; tem dentes, mas não mastiga?

RESPOSTAS: 83. O livro. 84. Uma bolsa térmica. 85. A agulha de máquina. 86. Os botões de uma blusa. 87. O garfo.

14

88. Por que o homem estava batendo no relógio?

89. O que é, o que é? Quem faz não usa; quem usa, não vê; e quem vê não quer usar?

90. O que é, o que é? É cheio de furos, mas mesmo assim retém água?

91. **O que é, o que é? A parte da casa que está sempre apressada?**

92. O que é, o que é? Nem todo mundo tem, mas ninguém passa sem ele?

93. O que é, o que é? É preto quando você compra, e é cinza quando você joga fora?

94. O que é, o que é? Tem quatro dedos e um polegar, mas não é mão?

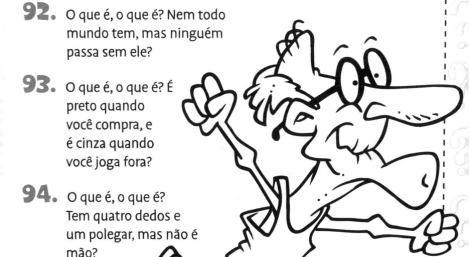

RESPOSTAS: 88. Ele queria matar o tempo. 89. O caixão 90. A esponja. 91. O corredor. 92. O ferro de passar. 93. O carvão. 94. A luva.

95. O que é, o que é? Destrói tudo com três letras?

96. O que é, o que é? A mão que devemos usar para mexer o café?

97. O que é, o que é? O significado de achar uma moeda sempre no mesmo lugar?

98. Só tenho um fósforo para acender uma vela e uma lareira. Qual devo acender primeiro?

99. O que é, o que é? Não tem olhos, mas pisca; não tem boca, mas comanda?

100. O que é, o que é? Atravessa uma porta, mas nunca entra e nunca sai?

RESPOSTAS: 95. O fim. 96. A gente não deve usar a mão, e sim a colherzinha. 97. Uma coin-cidência. 98. O fósforo. 99. O semáforo. 100. A fechadura.